黄河之水天上来　奔流到海不复回

水利部黄河水利委员会 编

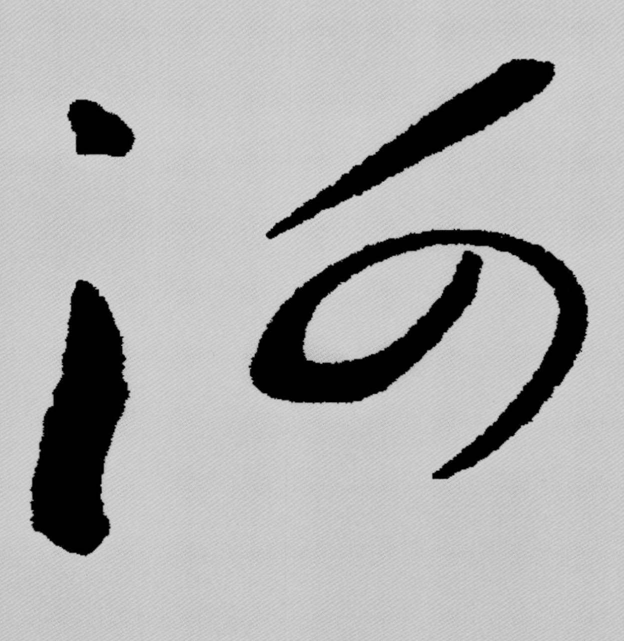

黄河水利出版社

开篇语

如果有人提出这样一个问题：黄河是什么？你会说，炎黄子孙、中华儿女，谁不知道黄河呢？那最最朴素、最最简单、且不容置疑的回答是：黄河是一条河，是流淌在中国大地上的一条河。

然而，不同的人又会对黄河给予不同的阐释和理解。

历史学家说，人是在黄水与黄土的混融中诞生的。因此，黄河不仅是一条流淌在祖国北方黄土地上的自然的河，而且是一条“母亲河”，是一位哺育着千千万万炎黄子孙、塑造了我们中华民族灵魂的伟大的母亲。

地质学家说，海洋生出高山，高山生出黄河。黄河的万里奔流是从鄂尔多斯断块周缘断裂系的内陆湖泊演化而来。早在更新世，大约150万年之前，许许多多的古湖盆及注入湖盆的众多独立水系，经过陆块的挤压、隆升、沉降，水流的强烈溯源侵蚀，湖盆间逐渐连通，才孕育出一条河，并最终形成万里巨川。

文学家则展开想象的翅膀，升空俯视，说“黄河之水天上来”，把黄河视为一条奔腾飞跃在天地之间的巨龙，忽而静伏，忽而咆哮，忽而腾挪，忽而回望……

政治家更从这流动的巨川中看到了精神，掂出了分量，触摸到了拼杀和争斗，体会出了曲折和希望。

当一个实实在在的事物，被赋予特定的意象，当一种客观确凿的存在，被不同的视点从不同的方向加以投射，就会绮丽万千，变幻无穷。而黄河，她的伟大征程，她的不同凡响，她的生命价值，恰恰造就了人们去抒发、去想象、去认知、去感悟的特殊内涵。

黄河是让人看不够、摸不透、读不尽、想不完的一条大河、一道征程、一部巨著、一种象征。

你看，黄河从远古走来，从历史的深处走来。与我们并肩携手，日夜同行。经历着沧海桑田的巨大变迁，承载着沉浮变幻的潮起潮落，接受着风雨雷电的洗礼考验，凝结着岁月更迭的历史印记。

你看，黄河从天地间走来，犹如一个硕大无比的生命体，把我们包容其间，与我们形影不离，在浩浩宇宙之中，完成了聚散离合、生生不息的大循环，在朗朗天底之下，挨过了日月运行的周而复始。阅尽人间万象，履尽千难万险，完成了生命演化的不朽征程。

黄河与我们一起，把每一个脚印都深深嵌刻于祖国的大地，深深嵌刻于我们的心中，或感慨，或惊恐，或壮烈，或恢弘。今天，站在一个崭新世纪的起跑线上，我们再一次重新面对黄河，心底翻卷起的已不再仅仅是重复了无数遍的敬畏与褒贬，不再仅仅是叙述了一回又一回的“河殇”的故事。

这里，让我们跟随黄河，从神奇的高原到浩瀚的大海，领略她如何从青藏高原走来，从巴颜喀拉山风化裂隙的地下涌动出的晶莹剔透的清泉开始她的征程，穿峡谷，踏平原，汇千川，纳万流，九九回转，奔向大海。

这里，我们谈论黄河，赋予她丰富多彩的生命颜色；我们认识黄河，把握她与时俱进的生命律动；我们保护黄河，感知她与生俱来的生命重量；我们仰望黄河，体会她日月经天、江河行地、天人合一、亘古不变的生命真谛。而只有从这个意义上，我们才真正感悟到黄河天地轮回而又不屈不挠的风尘脚步，才真正触摸到黄河跌宕起伏而又永恒不息的跳动脉博。这就是我们编撰中国第一本人性化的黄河图文集——《天下黄河》的立意。

目　次

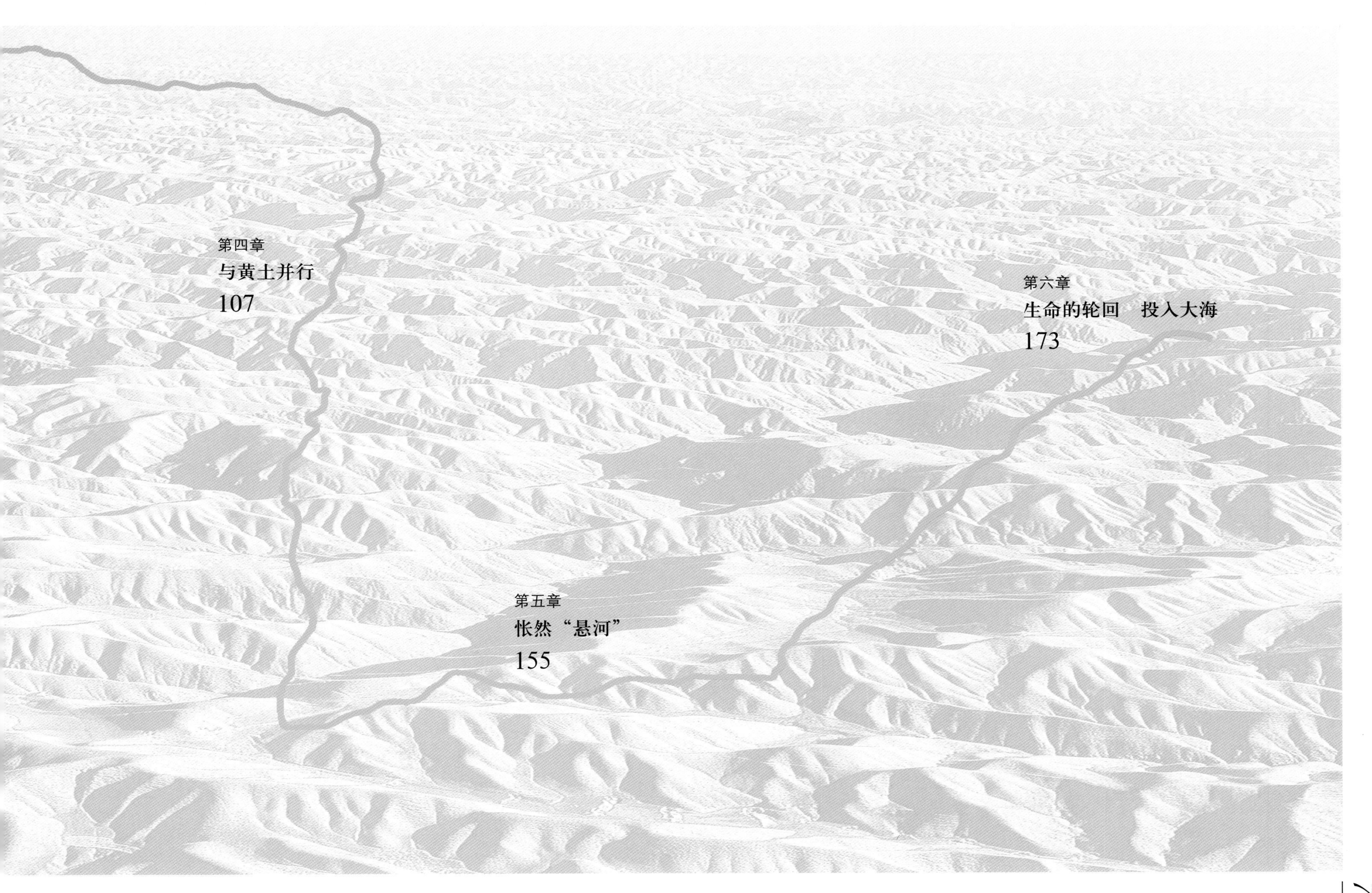

天下黄河

第一章

从青藏高原走来

第一章

从青藏高原走来

黄河从青海省巴颜喀拉山北麓海拔4500米的约古宗列盆地开始了她的万里征程。

为了拜谒黄河的源头，为了寻找维系着一个民族情感的这条大河的源头，古人、今人，曾经纷纷迈开双脚，步步登攀，从四面八方来到海拔4000多米的青藏高原。于是便有了黄河“第一步”的记载。

←冰雪高原　海青岳／摄

这沉默的青藏高原，在远古时代却是一片汪洋大海。第三纪以来的地壳运动，使古地中海撤出，喜马拉雅山随之崛起，整个地区大幅度地缓缓升高，形成了今日的景观。

↑神秘的高原 李全举／摄
蓝天、白云、青山、绿草，辽阔的青藏高原沉静、神秘、豪气悠远。

最早关于黄河源的记载见于战国《尚书·禹贡》，那时认为“导河积石，至于龙门”。而西汉张骞则寻找到了今新疆南部的于阗河，以为这里就是黄河的发源地。唐贞观九年(公元635年)，侯君集和李道宗奉命征讨吐谷浑，到星宿海。明洪武十一年(公元1378年)，以僧人为首进藏“请佛书”，路过黄河源。而真正意义

↑昆仑雪峰　李全举／摄

昆仑山，沿新疆、西藏地界延入青海、四川，地势西高东低，平均海拔6000米左右。山势险峻巍峨，山体壮阔绵长，有“莽昆仑”与“亚洲脊柱”的美称。昆仑山一直被尊为“神山”、“圣地”。

↑巴颜喀拉山剪影　郑云峰／摄

巴颜喀拉山在青海中部偏南，为昆仑山脉南支。这里有许多终年积雪的高山，处处冰河垂悬。每年春天以后，在强烈的日光照耀下，高山冰雪渐渐消融，融水汇成一股股溪流，滋润干燥的沃土，更为江河供给水源。

←高原之夏　任志明／摄

青藏高原的夏季是短暂的，在两个月的温暖天气中，高原上一片生机勃勃，植物以最快的速度走完它生命的循环过程。辽阔的大草原，金黄的油菜花，如同一望无际的锦绣地毯。

上的探源活动应自元代始。元世祖至元十七年(公元1280年)有荣禄公都实、清康熙四十三年(公元1704年)有拉锡、舒兰等人专门奉命探求河源，获得了许多珍贵资料。而真正有效的考察还是新中国成立以后。1952年，水利部黄河水利委员会组织的第一次黄河河源查勘队确定了黄河源。1978年，由西线南水北调勘察队再次认定。

←雅拉达泽山远眺　金晓明／摄

雅拉达泽山，居巴颜喀拉山脉中部，脊如牛角，峰似虎头。在它东面30公里处，就是被人们称为"黄河源"的约古宗列盆地。在这座山峰的南面，流淌着长江上游通天河的支流，黄河、长江水系在这里也就一岭之隔。

→约古宗列盆地　李全举／摄

约古宗列盆地海拔4500米。当地牧民把它比喻为"炒青稞的锅"。盆地东西长20公里，南北宽约16公里。黄河从这里开始了她的万里行程。

今天，一尊标记“黄河源”的巨大石碑昂然伫立在约古宗列盆地的黄河发源处。

说黄河的源头在这里，真像是个神话。

据说，这里曾是一片海，是水的家园。因为“海陆变迁”、“板块相撞”、“造山运动”，才变成了一片高耸入云的山峰。巴颜喀拉山突兀其中。而谁又能想到，由海洋生出的这座高山，竟又孕育了一条大河！

←黄河源头麻多乡　郑云峰／摄

"麻多"，在藏语里就是"黄河上游"的意思。这里空旷寂静，人烟稀少，平均每平方公里不足1人，充溢在这里的只有清新和恬静。

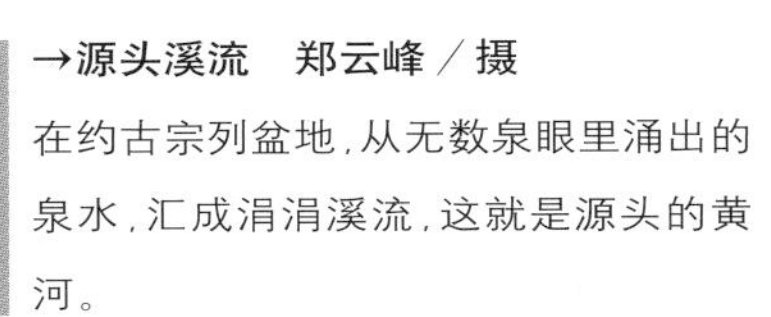

→源头溪流　郑云峰／摄

在约古宗列盆地，从无数泉眼里涌出的泉水，汇成涓涓溪流，这就是源头的黄河。

我们应该感谢上苍，它赐予中华大地的这条大河，正是一个流动的生命。而凭借这个生命，孕育了惊世骇俗的文明，繁衍了“无穷匮也”的儿女子孙，造就了铺天盖地的自然美景。

走近源头，触摸海拔4500米的高度，除了寒而颤栗，窒息难耐，还有心游万仞，神骛八极。这里，无明显春夏秋冬之分，却在一天里有四季温差冷暖的变化；这里缺少氧气，却让你感到生机盎然，豪气万丈；这里，粗犷而又纤秀，沉静而又喧闹，单调而又绚丽，充满魅力却又不乏凶险！

←牧归　郑云峰／摄

青海曲麻莱县麻多乡是藏族同胞聚居地，也是"黄河源"约古宗列盆地的所在乡。几十年前这里还是人迹罕至的地方，现在已有了牧民定居。

↓约古宗列曲　霍列东／供

黄河流经约古宗列盆地的河段称约古宗列曲，它接纳各细流，串联大小水泊，蜿蜒向东北穿过黄河上第一个峡谷——茫尕峡，进入星宿海。当地藏民叫玛曲，意即"孔雀河"。

源头的景色是要细心体察的。谁会想到，这悠悠下坠的点点水珠，这汩汩渗出的片片水花，与那洋洋洒洒、浩浩荡荡的黄河有如此血肉相联的关系？！古代冰川深处的泉水，以不可遏止的力量，冲破地壳的禁锢而涌流，并以百折不挠的精神，化成黄河，流进历史。

面对源头的滴滴清泉，想着浩浩大河，生命似乎才有了最准确的表达。伟大出于平凡！不释细流所以成其大。

↓星宿海　李全举／摄

星宿海并不是海，而是一个辽阔的草滩和沼泽，东西长20多公里，南北宽约10公里。登高远眺，只见数不清的水泊在阳光照耀下闪闪发亮，灿若群星。

黄河从源头诞生，迈出了勇敢的“第一步”。整个河源地区正像黄河婴儿的摇篮。约古宗列盆地，以美丽的胴体，把“天赐”的黄河接下来，拥抱于怀，传之以力量，接着便交给星宿海和扎陵湖、鄂陵湖。这里，是一片更为神奇的世界。

星宿海，是继约古宗列之后的又一个盆地。星宿海的藏语意为“花海子”或“海子”，其实就

←源区湿地　惠怀杰／摄

夏秋季节，河源区的草滩上密密麻麻的矮草翠绿丛丛，那高原垫状类植物，红的、紫的、黄的、蓝的，各种颜色交织在一起，将这里装点得十分美丽。

是水塘、水泊。举目四望，在那辽阔的草滩和沼泽盆地间，众多的大小水泊在阳光下发出粼粼波光，花花点点，时隐时现，灿若群星。这里海拔比源头地区要低200米左右，因为低，水不断从高处流下、聚集。沿途相继接纳了扎曲、卡日曲，水量大增。正因为这样，这里的黄河已是有形有体、相貌堂堂了。

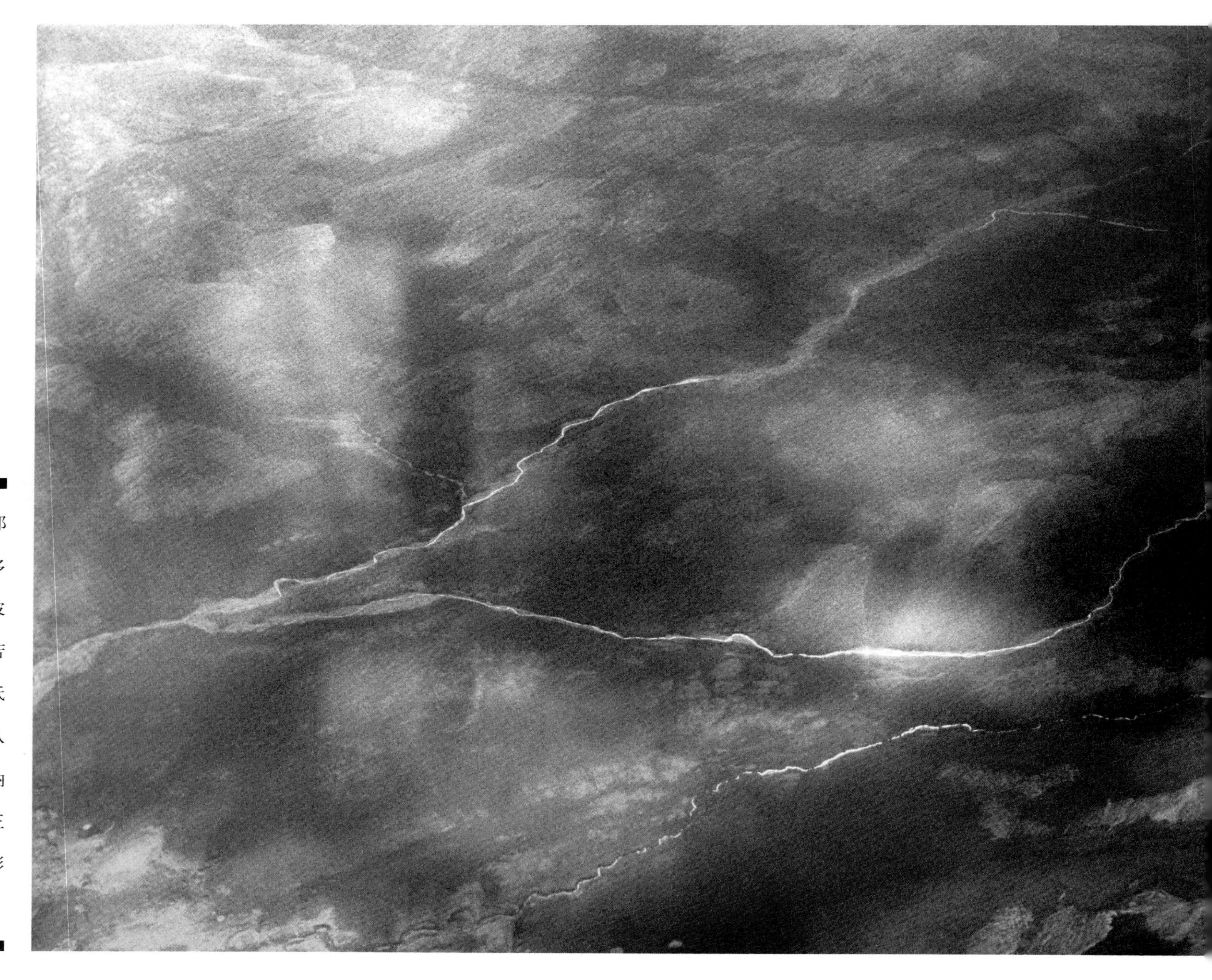

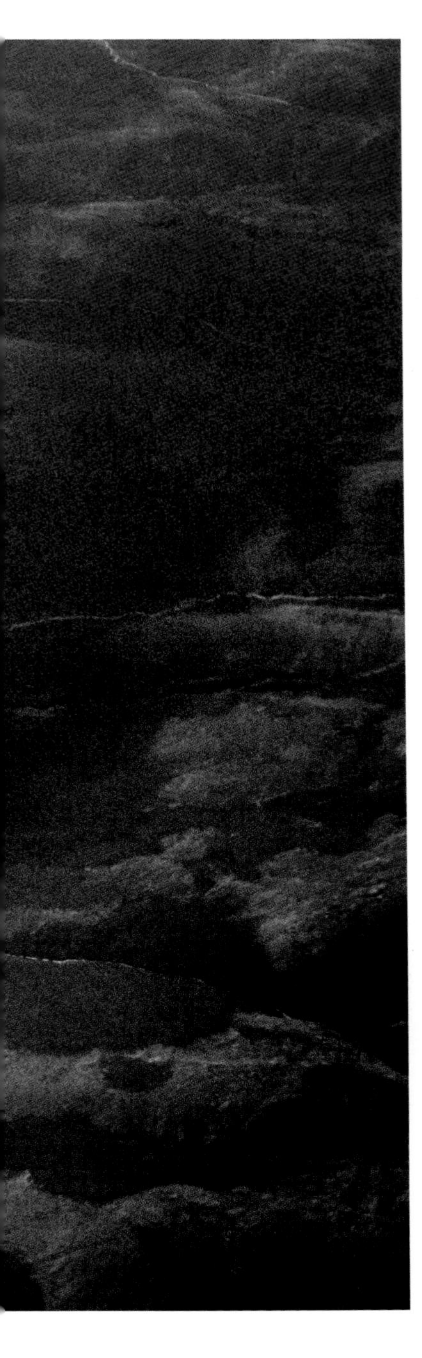

←源区的约古宗列曲、卡日曲、扎曲

李全举／摄

约古宗列曲穿过星宿海，与卡日曲、扎曲汇合，水量大增。

↑河源地区河道　郑云峰／摄

河源地区的黄河，河道宽浅，河水清澈。

黄河再向东流大约20公里，便被一对“孪生姊妹湖”拦住。扎陵湖在西，鄂陵湖在东，相距约9公里。在藏语中，“扎陵”表示白色，“鄂陵”表示青色。扎陵湖浅，平均水深9米多，风起浪涌显白色；鄂陵湖深，平均水深17.6米，最深可达30.7米，显青色。从空中俯视，两湖就像一对水灵灵的大眼睛，使河源区的景色更加迷人。每到春夏之交，这里小草青青，小鸟啾啾，水中

→扎陵湖鸟岛　郑云峰／摄

扎陵湖的西南角，距黄河入湖处不远，有3个面积1～2平方公里的小岛，岛上栖息着大量水鸟，所以又称“鸟岛”。

←黄河流入扎陵湖　李全举／摄

黄河过星宿海、玛涌滩继续东行，进入扎陵湖。扎陵湖周长120公里，湖面526平方公里，海拔4300米。湖面东西长而南北窄。传说松赞干布和文成公主初次见面的地点就是在扎陵湖畔。

游鱼成群，牛羊悠然自得。你如果多待些日子，也许会看到斑头雁悠闲踱步，野驴成群奔跑，还不乏白唇鹿、旱獭、黑颈鹤这样的野兽珍禽。特别是扎陵湖的那个鸟岛，每年春末夏初，成千上万只候鸟从南方飞来，简直成了鸟的天堂。更有巧夺天工的冰川，从逼人的寒气中透出阴阳一体、刚柔并济之美。这里，人和兽，草和木，和睦相处，一片祥和，天人合一，冷暖自知，这是一片友善的圣地。

←鄂陵湖　李全举／摄

从扎陵湖向下约9公里，即进入鄂陵湖。鄂陵湖周长150公里，湖面618平方公里，是中国最大的高原淡水湖。扎陵湖和鄂陵湖也是中国海拔最高的高原淡水湖。

↑鄂陵湖鹿岛　李全举／摄

鄂陵湖中有个鹿岛，因无天敌，成了鹿的世界。这里的白唇鹿是国家级一类保护动物，也是我国的特有种群。

←鸟瞰黄河流经的第一个县城——玛多　李全举／摄

黄河出鄂陵湖，东南行65公里就到了玛多县城，出了玛多，黄河就走出了河源地区。玛多县地处青海省西南部的果洛藏族自治州，平均海拔在4500米左右，是全国海拔最高的一个县。

黄河从源头到玛多，走完了河源段的历程。在这里，黄河流过广阔的滩地草原，穿过美丽的湖泊，绕过断壁悬崖，安详自如，活泼洒脱，水灵清纯。初出茅庐的黄河，在这里得到滋养、抚爱，得到了她终生受用的慈祥、博大和宽容。

→黄河流过果洛草原　郑云峰／摄

离开两湖，黄河蜿蜒在美丽如画的果洛大草原上。早在公元7世纪前后，就有藏族的先民生活在这片土地上。夏秋季节，果洛草原上碧水青天，绿原雪峰，帐房点点，牛羊成群，构成一幅醉人的河源风情画卷。

天下黄河

第二章

九九回转　百折不挠

第二章

九九回转　百折不挠

黄河出了河源区，宽浅平静的河流逐渐进入深切的河谷。或受高山阻隔，或被峡谷挟持，黄河不断为了生存而弯曲，为了前进而后退，历经艰难曲折，一波三折，去完成她生命的历程。人们称为“九曲黄河”，九，多也！挫折数以百计，然而黄河向东奔流的决心不移。

↑达日黄河　李全举／摄

黄河离开了源区的玛多，进入达日县，在平缓的谷地中东行。

→久治黄河　李全举／摄

青海久治县地处青藏高原的东南缘，东邻甘肃玛曲县。黄河从久治进入甘肃玛曲，开始了黄河"第一曲"的行程。

中国大陆自西向东倾斜，高低悬殊。黄河也是自西向东乘势而下，形势大致呈三级台阶：西部海拔在3000米以上，属青藏高原；中部海拔在1000～2000米之间，绝大部分属黄土高原；东部海拔大多在100米以下，属黄淮海平原。黄河离开河源区，先

←黄河第一曲——唐克湾　赵广田/摄
黄河由久治进入甘肃，并在四川边界若尔盖受阻，由东南流转向西北流，形成180度的大弯，称为唐克湾。

是流经巴颜喀拉山与阿尼玛卿山之间的古盆地和低山丘陵，大体由西北向东南流。接着，黄河走过了第一大弯——唐克湾。提起唐克湾，就不能不提起黄河流经的第二个省份四川。在黄河79.5万平方公里的流域面积中(包括

↑阿尼玛卿山主峰——玛卿岗日
李全举／摄
玛卿岗日，海拔6282米，是阿尼玛卿山的主峰，也是黄河流域的最高峰。它巍然屹立于周围群峰之中，外界很少有人知道它的真实面目。

→阿尼玛卿山　李全举／摄
地处黄河第一河曲之滨的阿尼玛卿山，古称积石山。一直被果洛部族视为自己民族的图腾，崇拜为祖先山。它满山笼罩着神秘的色彩，瑞草瑶花之间，珍禽异兽神秘出没。

↑拉加峡　李全举／摄

黄河出第一大弯，沿阿尼玛卿山与西倾山之间的谷地向西北行进，其间流经全河仅次于晋陕峡谷的第二长峡——拉加峡。拉加峡得名于拉加寺，是青海高原与黄土高原过渡地带一系列大峡谷的总称。

←玛曲县境内的黄河　海青岳／摄

黄河"第一曲"主要在甘肃玛曲县境内流过，就是在玛曲县境内转了个180度的大弯，又流回青海。

又转弯180度向东流去，形成第二个大弯。弯顶在青海省兴海县唐乃亥。两个大弯的形成，使黄河走向呈“S”形大转折。其间，黄河多穿行在崇山峻岭之中，有多石峡、多唐贡玛峡、官仓峡、拉加峡、野狐峡、拉干峡、龙羊峡等一系列峡谷。在这里，你尽可

←黄河回流　蔡　征／摄

黄河穿过甘肃玛曲县境后，折向西流回青海，当地人也称这一段黄河为"倒淌河"。

领略黄河大峡的绝妙景观。其中拉加峡，峡谷长216公里，是黄河上游最长的峡谷；而野狐峡，两岸山岩最窄处仅10余米，据说野狐可以一跃而过。而龙羊峡最为壮观，岸壁陡立挟持，中间一水奔流。立岸俯视，黄河恰如一条被深深嵌入地球深处的细带，让你惊叹与目眩。

←唐乃亥　惠怀杰／摄

唐乃亥是黄河上游第二个大弯的顶点，位于青海省兴海县。这里原是个古湖盆，称共和湖，后来逐渐排泄疏干，演变为今日的旱塬台地。

→鸟瞰野狐峡　李全举／摄

过了唐乃亥，黄河进入野狐峡。传说，野狐可从这里一跳而过，因此而得名。

龙羊峡向下至宁夏青铜峡，峡谷与川地相间。峡谷处，两岸山势陡峻，河谷狭窄，在918公里的河段中，就有峡谷14处。其中龙羊峡至甘肃兰州，更是黄河干流峡谷最密集的河谷。兰州以下，黄河沿黄土高原西北缘流去，两侧山峦起伏，仍多峡谷，其中黑山峡长达81.5公里。激流澎

←野狐峡近影　蔡　征／摄

野狐峡两岸是高达200米的绝壁，最窄处不足10米。

←曲什安乡黄河湾　蔡　征／摄

位于兴海县曲什安乡的黄河湾，因它的特殊"构图"而引起摄影者注目。

↓兴海黄河边的沙丘　李全举／摄

近年来，由于水土流失、植被的退化和破坏，黄河上游土地沙化趋势严峻。

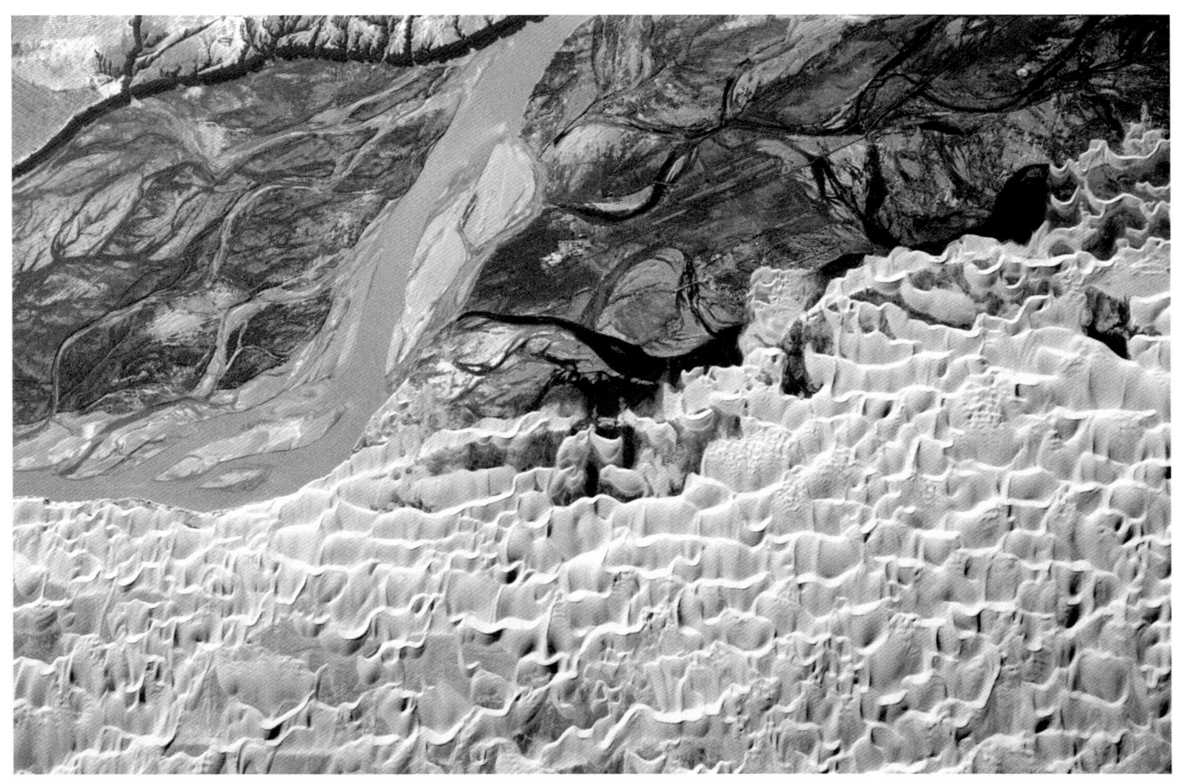

湃，水急而险，水流巨大的落差使这一河段蕴藏着巨大的水力资源。

在长长的峡谷中，黄河还闯过了许多著名的险迹，诸如“煮人锅”、“白马浪”、“拦门虎”……

←←龙羊峡谷　惠怀杰／摄

黄河由野狐峡折向东北90公里，就是龙羊峡。这是黄河干流上比降最陡的峡谷，峡长38公里，落差235米。黄河在这里犹如一条灵秀舞动的长龙奔驰在两岸峡谷之间。

←龙羊峡水利枢纽　郑云峰／摄

1987年建成的龙羊峡水电站，总库容247亿立方米，装机容量128万千瓦，设计年发电量59.4亿千瓦时。这座178米高的混凝土重力拱坝，是目前黄河上最高的大坝。

↑日月山　蔡　征／摄

日月山坐落在青海省湟源县西部，属祁连山脉，是黄河支流湟水与青海湖的分水岭。古时这里为中原通向西域的要冲。日月山南面几十公里处就是奔腾咆哮的黄河和举世瞩目的龙羊峡。

闻之悚然，观者生畏。然而，不管多么险迹丛生，曲折连连，黄河依然奔腾不止，势如破竹。黄河的这种气概，这种精神，正是我们中华民族性格的象征。你看，在谷深浪高之中，人们驾驶着牛、羊皮筏，与激流恶浪抗争，他们处险不惊，千回百转，筏行

↑贵德县黄河湿地　蔡　征／摄

黄河在贵德境内形成了一条东西长100多公里的宽阔河谷，河谷两岸地势平坦，土地肥沃，气候温和。贵德县位于黄河南岸，海拔1800多米，素有"高原江南"之称。

→青海湖　李全举／摄

青海湖被大通山、日月山、青海南山环绕，湖面海拔3195米，面积达4473平方公里，是我国最大的湖泊。一望无际的湖面上，碧波连天，雪山倒映，万鸟翱翔。

似箭，这种奋勇向前的气概不正是黄河给予的力量吗？

黄河披难历险的征程，不仅孕育了一种精神，还聚积了充足的能量。黄河在万里行程中，毫不懈怠，用这巨大的能量为人们一路点燃光明。一座座水库，一

↑拉西瓦峡谷　董保华／摄

贵德县的黄河拉西瓦峡谷。正在这里兴建的拉西瓦水电站将是黄河干流上最大的水电站，装机容量372万千瓦，年发电量102亿千瓦时。

→阿什贡峡谷　蔡　征／摄

阿什贡峡距青海贵德县城34公里。峡谷两侧山峦挟峙，高耸入云，山崖经亿万年风蚀，形状各异，奇姿妙色，为典型的风蚀山貌。

处处水电站，成为黄河的又一道亮丽风景。今天，从上游到下游，黄河干流已建和在建水利枢纽和水电站工程有15座。加上全流域10100多座大、中、小型水库及塘、堰、坝等蓄水工程，使黄河流域的广袤大地，正像布满繁星

←李家峡水库远眺　蔡　征／摄

李家峡水库位于青海黄南藏族自治州尖扎县，1988年开工兴建的李家峡水电站，坝高165米，设计年发电量59亿千瓦时。

→坎布拉国家森林公园　祁晓峰／摄
坎布拉国家森林公园位于李家峡水库岸边，面积1.52万公顷。域内山体高大，岭谷相间，形态旖旎。这里有藏传佛教寺院4处，历史均可追溯千年之久，是藏传佛教的避难所和复兴地之一。

的灿烂天空。其中，龙羊峡到青铜峡河段，即建有龙羊峡、李家峡、公伯峡、刘家峡、盐锅峡、八盘峡、大峡、沙坡头、青铜峡等一系列大、中型水利枢纽和水电站，成为我国重要的水电基地。龙羊峡水电站位居这一系列水利

↓循化县境内的黄河　郑云峰／摄

黄河穿过一道又一道峡谷，突然进入一个群山环绕、地势平缓的地区。这就是青海省循化撒拉族自治县。四周的大山挡住了大西北干燥的季节风，夏无酷暑，冬无大寒，气候温和。每年的春夏秋三季，青山碧野，柳绿花红，麦浪如海，果香沁人。

↓**积石山一瞥　李全举／摄**

位于甘肃省临夏回族自治州与青海循化县境内，又称"小积石山"。说它"小"，是区别于青海省境内的"大积石山"（阿尼玛卿山）。

↓**黄河清水湾　蔡　征／摄**

黄河在循化县自西向东流过约90公里，图为循化清水湾黄河，现在这里已开发为一个优美的旅游风景区。

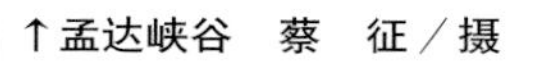

↑孟达峡谷　蔡　征／摄

孟达峡，位于甘肃临夏积石山自治县关门村附近，峡长25公里，地形十分险要。《尚书·禹贡》中记载的大禹"导河积石，至于龙门"的故事即指这里。

→湟水谷地　郑云峰／摄

湟水是黄河上游最大的支流，源出青海省海晏县大坂山南麓，流经西宁市，在甘肃省永靖县付子村注入黄河。全长374公里，是西宁市和沿河城镇的主要水源。

水电工程的最上游，被誉为“龙头电站”。盐锅峡水电站是黄河干流上发电最早的一座水电站，人们称它是“第一颗明珠”。青铜峡水利枢纽，不仅每年把13.5亿千瓦时的电带给她的儿女，同时由黄河与十大干渠构成的庞大灌溉水系，更显风采，被人们誉为“塞上明珠”。同样，青铜峡以下

←龙汇　赵广田／摄

黄河支流洮河就在这里汇入黄河刘家峡库区。

←刘家峡水利枢纽　殷鹤仙／摄

位于甘肃永靖县的刘家峡水电站，设计年发电量55.8亿千瓦时。刘家峡水库又名"炳灵湖"，两千多年前，炳灵寺附近是黄河上的一个重要渡口，丝绸之路曾在这里经过。

→盐锅峡水电站　殷鹤仙／摄

黄河从刘家峡东行30公里，就是盐锅峡水电站。总装机容量39万千瓦，年发电21.7亿千瓦时。在它下游17公里处就是另一座水电站——八盘峡水电站。

的三盛公、万家寨、天桥、三门峡、小浪底等水利枢纽和水电站的建设，都在防洪、灌溉、供水、发电等方面发挥了重要作用，为一部黄河成长史增添了异彩。

人类在认识自然、适应自然、与之和谐相处的同时，当然也可以改造自然，利用自然。出现在黄河胸前的这一颗颗璀璨明珠，是人类的明智选择和创造，也是黄河的真诚无私和奉献。

←兰州黄河之滨夜景　赵广田／摄

兰州又称"金城"，南北有皋兰和白塔两山挟峙，黄河从城区流过。这里自古为通往河西和青海、新疆的咽喉，也是历史上"丝绸之路"的途经之地。

←大峡峡谷　韩三当／摄

位于甘肃皋兰县境内。现在，在大峡出口段的飞鱼崖，已建成了装机容量30万千瓦的大峡水电站。

→红山峡　殷鹤仙／摄

位于甘肃白银、靖远之间的黄河红山峡，因两岸土质呈红色而得名，峡长74公里。

←宁夏黄河大转弯　惠怀杰／摄

←大河荡荡——黄河在宁夏中卫

殷鹤仙／摄

黄河进入宁夏，峡谷的约束不复存在，宁卫平原为黄河提供了充分施展身躯的广阔天地。

→黄河大柳树峡　韩三当／摄

位于宁夏中卫黑山峡出口处的大柳树，是一项待建的重大水利工程坝址。它的建成，将会与已建的龙羊峡和小浪底水利枢纽，形成黄河干流上三座最具控制和调节作用的骨干梯级工程。

大套弯。河弯的弦，东西横跨鄂尔多斯台地，长达300公里。民谚所谓“黄河百害，惟富一套”，指的就是这里。它大致包括了宁夏回族自治区和内蒙古自治区境内的黄河两岸平原，其中宁夏境内的称“西套”，内蒙古境内的，以东西之分又称“前套”与“后套”。东边的“前套”也叫土默川平原。

←腾格里大沙漠　米寿世／摄

由甘肃进入宁夏，首先迎接黄河的是沙丘起伏的腾格里沙漠。它的总面积约4.3万平方公里，是中国的第四大沙漠。在宁夏的中卫县，沙漠与黄河相依相偎。

的确，这里得天独厚，不同于先前的大弯。河套在母亲温暖厚实的臂膀拥抱中，这里是幸福甜蜜的港湾。巍巍贺兰山挡住了西北来的大漠飞沙，北面的阴山屏障着西伯利亚的高天寒流，加上明净的蓝天，温和的气候，宁

↑宁夏中卫沙坡头　李　辉／摄

沙坡头，在茫茫的腾格里沙漠中闪现出一片绿洲。黄河从边上流过，包兰铁路也穿越这里，加上大面积防沙障和固沙林的营造，使这里成为宁夏重要的旅游景点。

→黄河两岸的宁卫灌区　徐毅仁／摄

宁夏平原以青铜峡为界分为两部分，以北为银（川）吴（忠）平原，以南为宁卫（中宁、中卫）平原。在这片土地上，引黄河水灌溉农田已有两千多年的历史，自古就有"天下黄河富宁夏"之说。

蒙平原的千里沃野正可以利用母亲河的乳汁发展开渠屯垦之利。早在秦汉时期，这里就已有开渠引水灌溉，至唐代已成为当时中华民族繁衍的富庶之地，并成为黄河上游开发最早的重要农业区域之一，"塞上江南"就是人们对它的赞美。目前，宁蒙地区引黄

灌溉面积已发展到110万公顷。特别是青铜峡、三盛公等大型水利枢纽的兴建，结束了无坝引水的历史，使“塞上江南”更加光彩照人。

水是生命的源泉，生命需要水的滋润，河套之富，黄河功不可没。

←青铜峡水利枢纽　殷鹤仙／摄

黄河过中卫县后向东，到了中宁县转向东北，沿贺兰山东南麓向前奔流，不久便进入上游最后一道峡口——青铜峡。1967年青铜峡水利枢纽的建成运用，结束了宁夏两千多年无坝引水的历史。

↓宁夏灵武一带的黄河　杨宏峰／摄

黄河自灵武市境西部边缘由南向北流过，流程47公里。

举目宁夏平原，这个面积7800平方公里，处在贺兰山和鄂尔多斯高原之间的地带，桑田无际，阡陌相连，纵横交错的渠系，如同一条条彩带，穿插飘荡其间。对黄河如此慷慨的眷顾，宁夏也用白色的滩羊皮、红色的枸杞、黄色的甘草、蓝色的石砚、黑

↑贺兰山麓　权炳宇／摄

贺兰山是宁夏平原的天然屏障，南北长200多公里，最高海拔3500多米。它像一位高大的卫士，阻挡着腾格里沙漠东移。

←银吴平原日出　杨宏峰／摄

唐代诗人韦蟾作诗赞灵武："贺兰山下花果城，塞北江南旧有名。"站在灵武观旭日东升与黄河细流，别有一番情趣。

色的太西煤，连缀成色彩斑斓的项链，挂在黄河的胸前。内蒙古河套平原，更是以无边的草原，如云的牛羊，丰收的美酒献给黄河。土默川世代吟诵的“天苍苍，野茫茫，风吹草低见牛羊”，正是人们为这里描绘的一幅美丽壮观图景。

↑平罗沙湖　李　辉／摄

平罗沙湖，被誉为"鸟儿天堂"，距银川市40公里。在20平方公里的湖泊中有一个鸟岛，岛上浓密的芦苇荡为各种鸟类提供了栖息场所。

站在这里，我们才更清晰地感受到黄河母亲的博大无私，领悟到黄河之“性本善”。

黄河倾其乳汁，不辞甘苦与辛劳，甚至不惜生命，也在为滋养她的儿女竭尽全力。黄河年平均径流量仅占全国河川径流量的2%，却供养了全国12%的人口，灌溉了全国15%的耕地。黄河流

←平罗黄河　杨宏峰／摄

黄河自南而北流经平罗县东缘，流程48公里。平罗素有"甜菜之乡"的美称，唐徕、惠农等引黄灌溉之利，更使平罗成为宁夏的商品粮基地县之一。

→鸟瞰阴山山脉　孟宪毅／摄

黄河出宁夏向北，穿行于乌兰布和沙漠与鄂尔多斯台地间，受阴山山脉阻挡，折转向东。阴山山脉以弧形走向环抱内蒙古河套平原，使河套平原犹如一幅扇形画面，镶嵌在阴山之南、黄河之滨。

域约占耕地面积36%的灌溉面积上，生产了70%的粮食和大部分经济作物。黄河还为两岸50多座大中城市，420个县、镇及沿黄能源基地和大型工矿企业提供了水源保障，除此之外，还慷慨跨流域向青岛市、天津市供水，解决城市用水的燃眉之急，为其经济发展创造条件。我们的黄河就是这样心胸宽广，性格善良！

←黄河在毛乌素沙漠边缘流过

杨宏峰／摄

毛乌素沙漠位于陕西省榆林地区和内蒙古自治区伊克昭盟之间，面积达4.22万平方公里，长城从东到西穿过沙漠南缘。据考证，古时候这里水草肥美，风光宜人，后来由于气候变迁和战乱而成为沙漠。

↑三盛公水利枢纽　宝音朝克图／摄

位于内蒙古自治区磴口县的三盛公水利枢纽，把黄河水引入200多公里长的总干渠。当地人亲切地称这条水渠为"二黄河"，它是河套平原的一条生命线。

黄河不愧为奔走在中华大地上的一位仁慈的母亲。其德其仪，其心其情，日月共鉴。面对这一切，我们情不自禁地重新思考起许多写进历史的结论。黄河之善与生俱来，黄河之利有目共睹。而黄河之弊，本可避之，许多弊端乃后人所造也！我们能做

↑黄河荡漾在内蒙古河套平原

袁学军／摄

黄河在内蒙古河套平原上蜿蜒向前，水流缓慢，呈现出弯曲性平原河道的特点。

↑ **内蒙古黄河冰封　彭晓明／摄**

内蒙古河段地处黄河流域最北端，冬季河面年年封冻。与其上游甘肃、宁夏河段相比，内蒙古冬季封河早，来年春季开河晚。这样，其上游开河时，冰水俱下，在这里极易形成冰坝，往往会发生凌汛灾害。

的，我们该做的，就是保护黄河，去感知她与生俱来的生命重量，还她以清白。

黄河在内蒙古托克托的河口镇，结束了她的上游流程。其间，行程 3472 公里，流域面积 42.8 万平方公里，接纳了流域面积在 1000 平方公里以上的较大支流 43条，黄河水量的50%以上都是来自于上游河段，特别是兰州以上地区。黄河在这里，不仅尽显了她的刚烈不屈，更显示了她的温柔、体贴和坦荡。

↑巍巍大青山　任志明／摄

阴山山脉的东段，称为大青山。大青山脚下，就是美丽富饶的土默川平原。

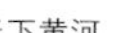

←土默川　额　博／摄

土默川位于大青山和黄河之间，南北朝时期称为"敕勒川"，五代时叫"丰州滩"，到了明代，由于蒙古族土默特部落曾在这一带驻扎、放牧，土默川这个名称就沿用下来，直到今天。

↑托克托县河口镇黄河　董增旺／摄

在内蒙古托克托县河口镇，黄河受吕梁山阻挡，掉头向南，开始其中游的流程。托克托一带还是我国古代北方重要的屯戍之地。

天下黄河

第四章

与黄土并行

第四章

与黄土并行

黄河在内蒙古托克托的河口镇，掉头南下，开始了她的中游之行。由此，黄河的面貌发生了根本改变。

黄河在这里切开了世界上最大的黄土高原，重又穿行在两岸峡谷之中。峡谷东岸是山西省，简称晋；西岸是陕西省，简称陕，因而称之为晋陕峡谷。

↑喇嘛湾黄河　额　博／摄

黄河在托克托急转南下，向黄河上一个著名渡口——喇嘛湾流去。内蒙古清水河县喇嘛湾，古称君子渡。汉代时这里就已设津长管理渡口。黄河过了喇嘛湾，河势迥异，就进入了峭壁林立的晋陕峡谷。

→黄河穿行黄土高原　惠怀杰／摄

黄河在中游流过了世界上最大的黄土高原，穿行在晋陕峡谷之间。晋陕峡谷长达725公里，是黄河上流程最长的峡谷。它将黄土高原劈为两半，山西、陕西两省以此为界，隔河相望。

黄土高原实在是世界黄土的奇观。它的面积达64万平方公里，黄土的厚度薄处几十米，一般达100～200米，个别地方甚至达300～400米，不论黄土分布的面积和厚度，都居世界之冠。放眼黄土高原，映入眼帘的是黄色的山峦，黄色的道路，黄色的房

↑晋陕峡谷激流　陈宝生／摄

晋陕两省相偎相依，却因黄河激流的阻挡而来往甚少。自古以来，人们已习惯于用舟船或皮筏顶着艰险踏浪前行。

→黄河在黄土波峰浪谷中蜿蜒

殷鹤仙／摄

黄河对黄土，既敬畏又无奈。黄土既给予黄河一种生命价值，又给予了一种生命负担。没有黄土就不称其为黄河，而有了黄土，又使黄河成为世界上最难治理的河流。

舍，黄色的尘埃，一片以黄色为基调的世界，一望无际，广袤无垠，天连地，地连天，全是黄色。其中地形起伏不大的是黄土塬，地形起伏显著的是黄土丘陵。黄土堆积的形态，或是长条形的称“黄土梁”，或是馒头圆形的称“黄土峁”，还有黄土桥、黄土柱、黄土崖……形态各异，蔚为壮

←黄土高原鸟瞰　殷鹤仙／摄

这片64万平方公里的黄土高原，显示了大自然不可抵挡的力量；黄河切断黄土高原而流过，突现了她与世界江河之不同。

→高原黄土梁　惠怀杰／摄

黄土塬、黄土梁、黄土峁，是黄土高原上独有的地貌形态。图为在两道冲沟之间形成的梁状侵蚀地貌。

观。有人说，置身黄土高原，才真正领略了大自然的强悍和不可抗拒；品评黄土高原，才真正体察了这世界独一无二的黄土博物馆。这是黄河特有的自然景观。而千沟万壑支离破碎的黄土地，侵蚀极为严重，成为黄河泥沙的主要来源区。

←高原黄土峁　梁长生／摄

经过长期进一步切割的黄土梁，终于侵蚀为彼此相互分离的馒头状的黄土峁。

→输送泥沙的千沟万壑　殷鹤仙／摄

当千万条大小"黄龙"弯弯曲曲纵横穿过黄土高原时，大量的泥沙终被倾泻入黄河，使黄河的含沙量达世界江河之首。

黄河就是从这里开始，面目全非，一派浑浊。黄土高原疏松的土质，特别发育的支流水系，把千沟万壑的水沙，通过几十条支流输入黄河，特别是无定河、窟野河等多沙、粗沙支流的汇入，使黄河每年的输沙量高达16亿吨，平均含沙量达35公斤每立方米，均居世界江河之首，也由此使黄河成为世界上最难治理的河流。

←鸟瞰晋陕峡谷　车　夫／摄

晋陕峡谷中的黄河，高原与黄河相依相伴、相辅而行。

→黄河老牛湾　车　夫／摄

在山西省偏关县的老牛湾，河岸坍塌的巨石散落河中，水流强行在明滩暗礁之间涌起层层恶浪，这就是晋陕第一段狭窄河道中最长的一道名滩——"狮子拐"。

↓**山西偏关黄河　惠怀杰／摄**

偏关县北靠长城，西界黄河，位于晋陕峡谷的北端。从偏关县老牛湾走出去的黄河，河势仍旧险峻，两岸岩壁峭立。

有人说，黄河是悬在我们头顶的达摩克利斯之剑。关于这一点，恐怕其根源就在这一段黄河的身上。当一条条浑浊的溪流像千军万马般冲杀向前的时候，黄土高原变成了两败俱伤的战场。千沟万壑，千疮百孔，千灾万

↑万家寨水利枢纽　殷鹤仙／摄

万家寨水利枢纽工程，位于托克托至龙口峡谷河段内，以供水、发电为主，兼有防洪、防凌等综合效益。设计装机容量108万千瓦，年发电量27.5亿千瓦时。其东岸为山西省偏关县，西岸为内蒙古自治区准格尔旗。

←龙口峡谷　李志恒／摄

龙口位于山西省河曲县城东北十几公里处，两岸石壁陡峭，怪石倒垂，黄河被挟峙其中，而至梁家碛后，豁然开朗，展开了一片河谷平原，水流骤然变宽变缓，形似龙口，故得名。

→河曲黄河夕照　黄宝林／摄

黄河出龙口，进入河曲县的楼子营，形成曲流宽谷。黄河依山回转，形成很多曲流，河曲县因恰好在曲流的弯曲处而得名。

难……黄土高原处处在风雨中呻吟，在剥蚀中痛苦。黄河也因此而变得多灾多难。然而，黄土造就了黄河，没有黄土高原哪还称得上是黄河呢？

晋陕峡谷中的黄河，虽沙尘满面，但仍不失其灵性之美。在晋陕飞流直下700多公里的河段

↑无定河晚照　陈宝生／摄

在陕西清涧县河口村汇入黄河的无定河，是黄河泥沙特别是粗泥沙的主要来源区。无定河多年平均含沙量达141公斤每立方米。在黄河每年输送的16亿吨泥沙中，约1／8来自无定河。

→高原绿装　殷鹤仙／摄

为了生存，人们在黄土高原上修筑了层层梯田、条田，在沟道里淤筑坝地，为荒凉的山塬梁峁披上绿装。

内，有许多美景奇观：由于滚滚激流强行在明礁暗滩之间激起层层恶浪而得名的“狮子拐”，由于泥沙沉淀形成河心沙洲而得名的“娘娘滩”，由于黄河水在冬季积冰成桥而得名的“天桥”，由于激流喷射、水雾蒸腾而得名的“雾

←太子滩　殷鹤仙／摄

黄河在河曲县境内由于泥沙沉淀，在宽阔的河道内形成一座座河心沙洲。其中，最有名的就是娘娘滩和太子滩。它们因汉文帝刘恒和他的母亲遭贬时曾流落于此而得名。

↑娘娘滩　额　博／摄

娘娘滩在太子滩下游3.5公里处，这座不足1平方公里的小岛是个田园如画的美丽地方，现在仍居住着30多户人家。

迷浪”……在这一道道神奇美丽的画廊中，景色最为壮观的还是壶口瀑布和龙门峡谷。

壶口瀑布位于晋陕峡谷的南部，山西吉县和陕西宜川县交界的黄河上。黄河在这里被两岸巨大的石崖钳向谷心，使原来约

←天桥水电站　李志恒／摄

天桥石峡是晋陕峡谷中最险峻的河段之一。1977年，在天桥下游4公里处建成了晋陕峡谷的第一座水力发电站——天桥水电站。设计装机容量12.8万千瓦，年发电量6.1亿千瓦时。

→碛口——湫水河入河处　陈宝生／摄

碛口因黄河第二大碛——大同碛而得名。大同碛位于临县碛口古镇西南500米的湫水河入黄处。黄河进入大同碛，河面急剧收缩为百米左右，河水涌向落差约10米、长3000米的倾斜河道，顿时水流湍急、浊浪排空。

→血脉——延河　惠怀杰／摄

发源于陕西靖边县白于山东南麓的延河，是黄河的重要支流之一，在延长县注入黄河，全长284公里。延河流经的延安，被誉为革命圣地。

←香炉寺　惠怀杰／摄

香炉寺，位于陕西佳县黄河岸边。寺庙倒映在黄河中，似海中蓬瀛。在寺庙的背后，是一座美丽的石头城——佳县县城，当地人以石造屋，以石铺路。

↑柳林军渡桥　李志恒／摄

军渡，历来为晋中通往陕西之要津。军渡桥连接着陕西的吴堡县和山西的柳林县。

↑山西柳林黄河又一弯　陈宝生／摄

黄河在山西柳林再行大弯。柳林在黄河东岸，黄河在柳林境内流程56.7公里。

→永和县阁底黄河大转弯　陈宝山／摄

永和县位于吕梁山西麓，黄河东岸。这里山峦起伏，沟壑纵横，在这里流过的黄河，仍不乏坦荡幽深的气概。

↑弯出晋陕峡谷　转载自《中国国家地理》

→夏日壶口　惠怀杰／摄
壶口的喧腾泥浪，弥天水雾，尽显其虎啸龙吟之威。由于不可抗拒的水力冲刷，壶口瀑布以每年3～4厘米的速度向上推移。

300米宽的河床一下子收窄至40米左右，形成了一个巨大的“壶嘴”。奔腾的河水，从18米高的石坎上飞流直下，猛然跌入宽30～50米的石槽中，水雾以排山倒海之势咆哮而起，以虎啸龙吟之威飞瑶泻琼，从而形成黄河上最著名的世界奇观。

壶口瀑布四季各异。晚春桃汛期，冰河解冻，黄河一变冰静的容颜，成群冰块，接踵而下，如万马奔腾。初夏，河水枯瘦，水

位下降，只见河水在这里收拢、倾泻，从数十米高度跌落下来，狂吼咆哮，水柱冲天，四溅的浪花烟雾弥漫。夏秋两季，河水陡涨，主副瀑布连成一片，呈现“天开一线呈英豪”的瑰丽景象。严冬至开春，壶口之下冰封雪冻，百尺瀑布银妆素裹，倒挂的冰柱犹如串串天然水晶，巧夺天工。

黄河在壶口，将她包容天下、吐纳百川的胸襟坦露无遗；黄河在壶口，将她那霹雳之威、盖世之气发挥得淋漓尽致。

←冬日壶口　骆　飞／摄

冬日清晨，零距离直面壶口，不仅能观赏到飞琼泻玉、冰封雪拥的奇异美景，而且更能深切地领悟到万里黄河一壶收的豪迈气概。

↑壶口瀑布　任志明／摄

壶口，黄河晋陕峡谷中的一大奇观。

壶口向下游约65公里处就是龙门。龙门是晋陕峡谷最南端的一个标志性峡口。龙门东面的龙门山和西面的梁山各伸出山脊，好像张开的巨钳，夹住黄河，形成只有100多米宽的“门”，成为束缚黄河的紧箍。黄河出了龙门，便又在开阔平坦的关中平原荡漾。这一束一放，使黄河河性骤变，形成明显的水位差，产生了“龙门三跌水”，于是也孕育了“鲤鱼跳龙门”的神话。不过，我们今天在这里是看不到跳龙门的鲤鱼的。我们只能面对龙门，思考引诱过、刺激过、同时也启发过无数华夏子孙的鱼变龙的神话。

←龙门　朱宝林／供

又称禹门口，形如门阙，历史上大禹开山导河的传说以及"鲤鱼跳龙门"的神话故事都发生在这里。

↑黄河出龙门　李志恒／摄

黄河穿过龙门即结束了在晋陕峡谷的流程，出了龙门，前面就是宽浅游荡的黄河小北干流河段了。

龙门的地理位置十分重要，它是连接晋陕交通的古道渡口。现在已有铁路和公路连接两岸，天堑变通途，面貌完全不同了。

黄河出了龙门，直流南下，进入汾渭地堑盆地。这里，河谷展宽，河道宽浅散乱，冲淤变化剧烈，有汾河、渭河两大支流汇入。渭河与汾河是黄河第一和第二大支流。渭河水系发育，特别又有泾河、北洛河等多沙支流的汇入，使渭河平均每年向黄河输送的泥沙约占黄河年输沙量的1／3。黄河接纳渭河之后，在陕西潼关

←泾渭汇流　赵平安／摄

洪水季节，当泾河注入渭河后，只见汇流处浑浊的泾河与较之为清的渭河相汇并行，"泾渭分明"，可谓奇观。

↑汾河从太原城中穿过　郑艾锁／摄

汾河为黄河的第二大支流，流经太原、临汾两大盆地，于万荣县汇入黄河，干流长710公里。

→渭河　梁长生／摄

渭河是黄河最大的支流，横贯陕西关中平原，干流长818公里。渭河的下游俨然呈现出一条大河的景观。

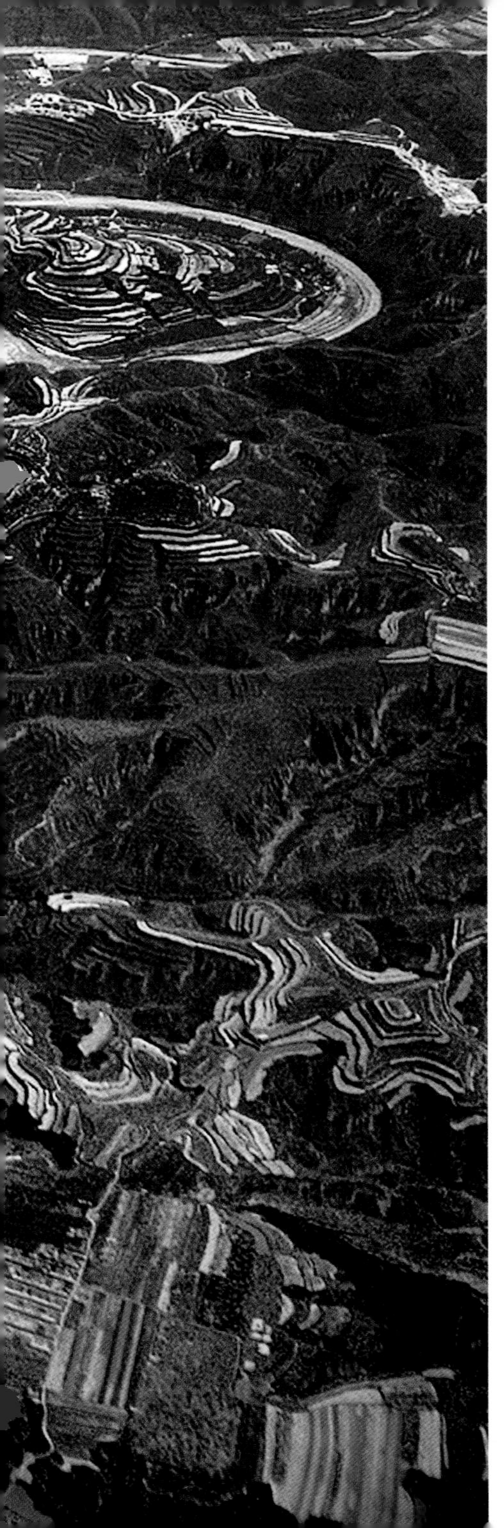

←多泥沙的泾河　惠怀杰／摄

发源于六盘山东麓的泾河，是黄河的二级支流，长455公里，有90%的流域面积为水土流失严重的地区，年均输沙量2.82亿吨，是渭河的主要来沙区。

↑关中平原　赵平安／摄

春秋时期为秦国属地，又称秦川。东西长达360多公里，面积5.3万平方公里，由渭河、泾河和北洛河等黄河支流冲积而成，土壤肥沃，素有"关中粮仓"之称，是我国农业生产发展较早的一个地区。

→从华山远眺黄河　黄继贤／摄

华山素有"奇险天下第一山"之说。它是由一块完整硕大的花岗岩体构成，其历史演化可追溯至27亿年前。山上奇峰、怪石、云海、鸣泉、飞瀑、古迹遍布，站在华山之巅向北眺望，滔滔黄河在这里折转向东奔流而去。

由于受阻华山，急转东流，成90度大弯，然后沿秦岭北麓直趋三门峡。黄河在潼关以上，河谷宽数公里至十余公里，主槽游荡不定，摆动频繁，历史上有“三十河东，四十河西”之说。潼关以下河段，南有秦岭，北有中条山，黄河深切其间，在这里黄河走过了干流的最后一段峡谷，之后，就开始在黄淮平原上游荡了。

从内蒙古托古托的河口镇，

到河南郑州的桃花峪，黄河走完了她的中游里程。这一段黄河干流河道长1206公里，流域面积34.4万平方公里。黄河每年输送的泥沙，有90%就来自这里，而中游的来水量仅占全河的45%。

走过黄土高原，再来看黄河，多少人毫不例外地心情沉重起来。我们实在不应在那被岁月剥蚀的痛苦面前麻木不仁。治理黄河重在下游，症结在中游。为了黄河，我们该好好治理黄土高原，而为了黄土高原，我们更该精心地抚慰那千沟万壑。

小 浪 底

天下黄河

第五章

怅然“悬河”

第五章

怅然“悬河”

黄河从河南郑州桃花峪开始进入下游河道，直至入海口，长786公里，黄河在这里泻流在豫鲁平原上。

也许黄河经历了太多的磨难，在此时已变得脾气暴燥；也许黄河曾接受了太多的束缚，在这里变得肆无忌惮；也许黄河承受了太多的委屈，在此时变得忍无可忍。“悬河”成为她在此时此地给予我们的最无可奈何的呈现。

↑桃花峪　董保华／摄

位于郑州市西北30公里的桃花峪，是黄河中、下游的分界点。黄河进入下游之后，一改中游浊浪翻卷之气势，而呈宽阔平缓、黄波微澜之风采，河道平坦，水流变缓，泥沙大量淤积。

黄河下游河道除山东境内南岸东平湖至济南区间为低山丘陵外，其余全靠堤防挡水。黄河下游河道上宽下窄。在786公里的河段内，上段207公里属游荡性河段，河道最宽，两岸堤距一般10公里左右，最宽处有24公里。接着165公里河段，为过渡性河段，堤距一般在5公里以上。再向下322公里属弯曲性窄河段，

↑邙山黄河　李　辉／摄

邙山是秦岭山脉的余脉，也是黄河进入华北平原最后的山岳屏障。站在郑州西北郊的邙山上眺望黄河，坦荡宽浅的河道，游荡不定的水流及新旧两座铁桥尽收眼底。黄河由此呈现出典型的游荡性河道特征。

↓黄河花园口　殷鹤仙／摄

花园口可以说是黄河"地上悬河"的起点。在以下约20公里的河段内，水面宽阔，溜势散乱，两岸堤距最宽处达20公里，防洪的形势十分严峻。1938年的那次人为扒口，使这里成为闻名中外的地方。

↓"悬河"　殷鹤仙／摄

由于大量的泥沙淤积，黄河下游河道逐年抬高，使河床远高出两岸平原地面，成为淮河和海河的分水岭，以"地上悬河"而闻名于世。图为河南开封柳园口的"悬河"形势。

堤距一般1～3公里。最后92公里为河口段。黄河从中上游挟带的16亿吨泥沙，在自然情况下，约有1／4淤积在下游河道中。由于大量泥沙年复一年在下游河道淤积，使现状河床高出大堤背河地面4～6米，比两岸平原高出更多，成为淮河、海河的分水岭，是举世闻名的“地上悬河”。

“悬河”是黄河无奈的仰天

↑黄河欧坦控导工程　殷鹤仙／摄

为了控导河势，护滩保堤，在黄河经常摆动的河道滩岸，修筑了河道整治工程，这就是控导工程。

→黄河东坝头　殷鹤仙／摄

河南兰考县境内的东坝头，位于黄河由东流折向东北流的转弯处，是著名的险工地段。这里两岸的堤距宽达20多公里。1855年黄河在东坝头附近的铜瓦厢决口，酿成了黄河最后的一次大改道。

长啸，“悬河”是人与自然的高低相较，“悬河”是大地托举的生命“悬棺”，“悬河”中奔腾咆哮的洪水成为严重威胁中华民族的心腹之患。

特别是在游荡性的宽河段，洪水灾害最为严重。这里一旦决口，由于“悬河”的形势，黄河将不能自行返回原河道，往往造成下游改道。历史上的重大改道都发生在这里。据记载，1949年

←“水上长城” 殷鹤仙／摄

黄河下游大堤，南岸起始于郑州邙山，北岸从河南孟县开端，横跨豫鲁平原，总长度1371公里，被誉为“水上长城”。黄河在两岸大堤的护送下，走完了下游近800公里的流程。

→山东弯曲性河道 侯贺良／摄

两岸堤防和控导工程，已使山东陶城铺以下弯曲性河道的河势得到基本控制。

以前的2000多年间，黄河就曾在这里发生26次重要改道，决口1500多次。从金明昌五年到清光绪十三年的600多年间，黄河在开封一带就决口数十次，其中六次漫灌开封城，最严重的一次曾使城内37万人有34万葬身于黄水沙海之中。新中国成立后，历经50多年的建设，黄河下游防洪工程的抗洪能力显著增强，未曾发生大的决口改道，但是，“悬河”的威胁依然存在。加上宽河段“悬河中的悬河”，更增加了局部洪水灾害的威胁。

↑北金堤滞洪区　林　虎／摄

北金堤滞洪区南临黄河大堤，北依北金堤，是黄河下游的分滞洪工程之一，必要时用以分滞洪水，削减洪峰，确保山东窄河段的防洪安全。

→艾山黄河河道　林　虎／摄

山东境内的艾山是黄河下游河道由宽变窄的分界点，河道最窄处仅275米，称为艾山卡口。

→泰山　侯贺良／摄

黄河流过东平湖，左岸为平原，右岸则是绵延起伏的鲁中丘陵，成为黄河的天然屏障。鲁中丘陵的主峰泰山是我国的五岳之首，如果天晴日朗，登上峰顶，可以看到远处金光闪闪的黄河蜿蜒流过。

宽河段的两岸大堤之间，有2800多平方公里的滩地，其中有295万亩耕地。群众为了保护庄稼，在滩唇修筑生产堤，将两岸堤距缩窄为1～3公里。由于一般洪水不能上滩，泥沙只能沉积在两岸生产堤之间的主槽中，从而形成“悬河中的悬河”。由此，不仅增加了局部灾害的机遇，而且使下游河道呈现了“槽高、滩低、堤根洼”的更为不利的状况。

历史上的洪灾，“悬河”的局面，似乎成为黄河的“罪孽”，让她有口难辩，黄河也只有仰天长啸了！然而，当我们冷静客观地细想起来，如果没有上中游很长

←黄河傍“泉城”而过　惠怀杰／摄

济南，是黄河流程中最后一座省会城市。自古以“家家泉水，户户垂扬”而闻名天下。由于地下水位下降，“七十二泉”已大都名存实亡。然而，黄河穿城而过，为这座城市补充了水源。

历史时期不可遏制的滥砍乱伐，如果人类能够更早地具有保护生态环境、维持生态平衡的意识，如果能多点风格，多一点责任，不为取小利而大不义，黄河还会像现在这样，悬而似剑，把利刃挂在我们的头顶吗？

“悬河”，正是大自然巧妙地绘制出的一幅惊心动魄的“警示图”。面对“悬河”，我们就像面对一段不堪回首的历史，就像撕揭人类自身那永远不能愈合的伤疤。好在我们已经并将继续用自己的双手拂去心底的阴霾，并且认真地聆听黄河母亲几近临终的嘱托。让我们告诉黄河，我们不能没有黄河，我们不能没有她的眷恋与依托！

→山东济阳黄河险工　殷鹤仙／摄

险工，是修筑在黄河堤防上用于抗击水流冲击的工程，多在大堤靠河并易出险的堤段。现在黄河下游已有险工约160处，包括坝、堆垛、护岸工程，占堤线长度的20%。

←引黄济青打渔张渠首闸　殷鹤仙／摄

山东博兴县打渔张是黄河岸边的一个小村庄，1986年动工兴建的引黄济青工程，把黄河水从这里引向严重缺水的海滨城市青岛，从此打渔张也成为远近闻名之地了。

天下黄河

第六章

生命的轮回　投入大海

第六章

生命的轮回　投入大海

黄河流过下游最后一个水文站——利津水文站之后，在山东省垦利县注入渤海，走完了她汹涌澎湃的万里征程。

从宁海以下为黄河河口段，河道长92公里。在入海口，由于海水的顶托，河水流速减慢，大量泥沙在这里淤积。黄河多年平均输送的16亿吨泥沙中，约有3/4输向河口，而其中的2/3淤积在滨海区。随着周而复始的“淤积——延伸——摆动”，入海流路相应改道变迁，这种现象被形象地称为“龙摆尾”。

←黄河向三角洲走去　殷鹤仙／摄

黄河在下游走过数百公里的路程，途经河南、山东两省，向黄河下游最后一个水文站——利津走去，之后就荡漾于三角洲了。

→垦利黄河　殷鹤仙／摄

垦利黄河，是黄河最后一段河道。垦利县和河口地区大部分都是黄河淤出来的"新大陆"。

据不完全统计，自1855年黄河夺大清河入渤海以来，河口决口改道50多次，其中重要的改道有10次。在这个过程中，黄河也完成了她最后的杰作——填海造陆。近50年间，随着河口的淤积延伸，黄河在这里年平均造陆面积近24平方公里，海岸线以平均每年0.5公里的速度向前推进，河道出口处的河嘴，最快时一年能伸长8公里。特别是黄河入海口浅海区的大陆架下，蕴藏着丰富的石油资源。黄河的造陆，把储油构造上的海域淤成了陆地，为石油的勘探和开发提供了极为

←黄河三角洲河道　杨　霞／摄

黄河从山东垦利县宁海开始进入三角洲地带。这里是世界上最大和最新形成的三角洲之一，面积达5400平方公里。河口流路从1953年起至今已进行的三次人工改道改变了河口流路自然漫流的局面。

→河口地区湿地——红海滩

杨　霞／摄

黄河三角洲有我国温带最广阔、最完整、最年轻的湿地。水塘片片，草木丛生芦苇、柽柳迎风起舞，景色迷人。

便利的条件。地处黄河口的胜利油田，已成为我国第二大油田。

黄河即使在最后一程的搏击，也是辉煌壮观、不同凡响的。碧蓝的海面环抱着成块成条的黄水，一直向远处延伸十几公里，才慢慢弥散开来，直至消失。每当洪水季节，滚滚浊流直冲深海，金黄的“水舌”伸在湛蓝的

↑河口湿地　董保华／摄

这里是东北亚内陆和环太平洋鸟类迁徙的重要停歇地和越冬地。世界上极为稀少的黑嘴鸥有一半在这里栖息。

←河口芦苇荡　杨　霞／摄

在黄河口，已建有东营国家自然保护区，茂密的芦苇荡一望无际。

海面上，最远时可达几十公里，这就叫“出河溜”。此时，涛声大作，宛如雷鸣，仿佛黄河以此宣告她万里征程的结束，同时也宣告新的开始。而黄河身旁林立的采油井架，两旁摇曳的芦荻，在深情地为黄河送行。

解读黄河口的黄河，我们又该怎样去评判黄河呢？

有诗曰：巨灵咆哮劈两山，

←孤东油区的拦海大坝　侯贺良／摄

黄河三角洲地下石油资源丰富，是我国第二大油田——胜利油田的所在地。这条1988年建成的拦海大坝，全长57公里，是滨海地区人民生活和孤东油田建设的保护神，被誉为"海上长城"。

←入海口河道　杨　霞／摄

黄河随着她在黄河入海口的淤积——延伸——摆动，不仅不断地改善着她的入海流路，而且以平均每年造陆20多平方公里的速度作出她最后的奉献。

→芦荻苇声　杨　霞／摄

片片芦苇在海风吹拂下发出阵阵“尾声”，也许这就是黄河在宣告即将结束她的万里征程吧！

洪波喷射入东海。黄河一路走来，经历了无数风霜雨雪，抱着一身的疲备，沸腾着周身的热血，向着太阳升起的地方作最后一程的奔跑和冲刺。是的，黄河把辉煌的东方作为自己的归宿，在那里有着等待她已久的胸怀更为博大的大海。她该回到那里，那里是另一位伟大的母亲，是她凤凰涅槃的再生之地。

让我们从更高的视点，用一种虔诚的心，来体味宇宙这生生不息的生命轮回吧！

←向大海走去　侯贺良／摄

在黄河向入海口奔去的时候，河水受到海水的顶托拦阻而速度变缓，泥沙随即沉积，日复一日，一道沙坎横卧于河海之间。

↓红颜——黄河口海上钻井台

杨　霞／摄

胜利油田的海上石油钻井台，亲历了这里的河海交汇与日出日落。

太阳从海面上冉冉升起，黄河温暖在大海的怀抱里，万道霞光把又一个新的命题交给了人类，交给了我们……

此时，我们再来回望黄河，也许会惊讶地发现：黄河岂止是一本书、一卷画、一路风光！

←黄龙入海——出河溜　董保华／摄

在黄河口，最壮观的莫过于"出河溜"了。浑浊的河水给碧绿的海水蒙上了一层黄色。若是洪水季节，黄色泥流劈开万顷碧波，直入深海，最远可达90公里。碧波黄流，泾渭分明。

→回归大海　杨　霞／摄

面对着喷薄欲出的海上旭日，黄河在这里投入到胸怀更为博大的母亲的怀抱，生命又从这里开始了新的轮回。

图书在版编目(CIP)数据

天下黄河／朱兰琴主编.—郑州：黄河水利出版社，
2004.4
ISBN 7-80621-777-0

Ⅰ.天… Ⅱ.朱… Ⅲ.黄河—自然地理
Ⅳ.P942.077

中国版本图书馆 CIP 数据核字（2004）第 028576 号

水利部黄河水利委员会编
主　　编／朱兰琴
副 主 编／骆向新　骆　飞
责任编辑／李　辉　许立新
装帧设计／张　胜　龚　云
责任校对／于自力　张　倩
出版发行／黄河水利出版社
　　　　　郑州市金水路 11 号（邮编：450003）
印　　制／深圳市佳信达印务有限公司
版　　次／2004 年 4 月第 1 版第 1 次印刷
开　　本／850 × 1168 毫米　1/16
印　　张／12
字　　数／50 千字
定　　价／260.00 元